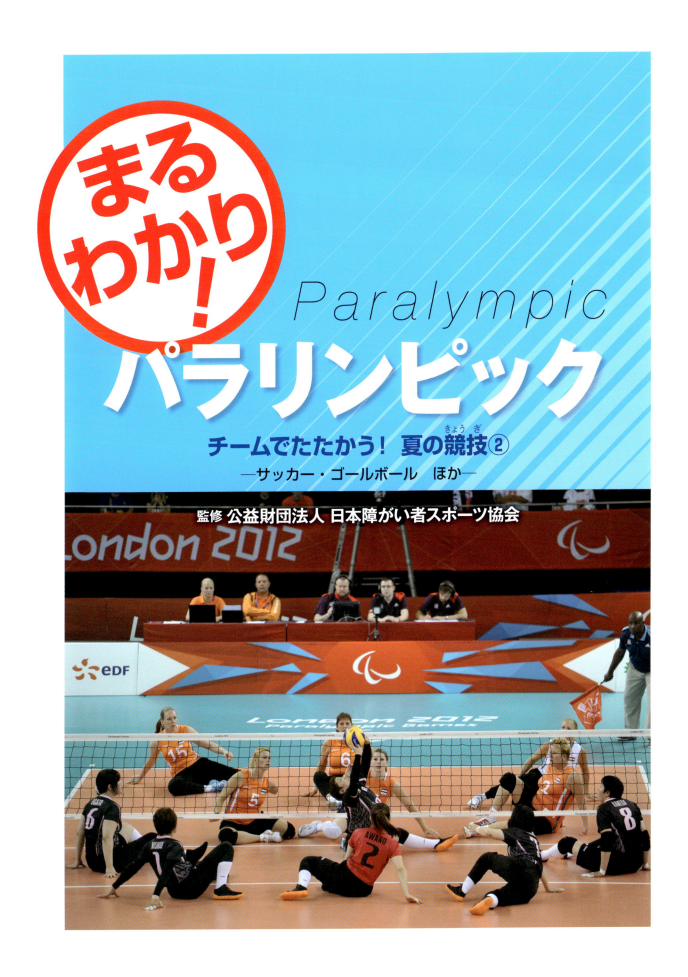

チームでたたかう！
夏の5競技

華麗なテクニックで相手をかわす！
脳性まひ者7人制サッカー

上半身を使ってボールをつなぐ！
シッティングバレーボール

全身全霊（ぜんれい）でゴールを守る！
ゴールボール

息をのむほどパワフル！
ウィルチェアーラグビー

はじめに

　みなさんは、「パラリンピック」を知っていますか。パラリンピックは4年に一度、オリンピックと同じ年に、オリンピックと同じ都市でおこなわれる障がい者スポーツの国際大会です。パラリンピックということばには、「もうひとつのオリンピック」という意味がこめられています。

　パラリンピックに出場するのは、障がいのあるトップアスリートたちです。目が見えにくい、自分の足で歩くことが難しい、手足を切断しているなど、障がいの種類や程度はひとりひとりちがいますが、用具やルールをくふうして公平に競い合います。

　第1回パラリンピックは、今から50年以上前の1960年に開催されました。当時は、車いすの選手に限定された大会でしたが、その後、そのほかの障がいの選手も出場が認められるようになり、競技も多様化していきました。また、競技全体のレベルも年々レベルアップしてきています。

　『まるわかり！パラリンピック』では、パラリンピックのあゆみや選手たちの活躍、各競技のルールや競技に使われる用具などについて、くわしくまとめてあります。また、選手・スタッフ11名のものがたりも掲載しています。
「世界で活躍している日本人選手がこんなにたくさんいるんだ」
「選手たちの持っている能力を活かした、こんな迫力ある競技があるんだ」
このシリーズを読んではじめて知ることがたくさんあると思います。
　本を読み終えたら、ぜひ、実際の競技を見てみてください。選手たちが限界をこえる瞬間に立ち会ってみてください。障がい者スポーツの大会は全国各地でおこなわれています。また、インターネットに動画が公開されている競技もあります。そして、4年に一度、パラリンピックの開催年になったら、自分の目でパラリンピックを見てみてください。そこには、みなさんの期待以上に楽しくて感動的な世界が広がっているはずです。

公益財団法人　日本障がい者スポーツ協会

まるわかり！パラリンピック
チームでたたかう！夏の競技②
―サッカー・ゴールボール ほか―

- チームでたたかう！ 夏の5競技 ………… 2
- はじめに ………… 6
- 脳性まひ者7人制サッカー ………… 10
- 視覚障がい者5人制サッカー ………… 14

もっと知りたい！
- もうひとつの視覚障がい者サッカーって？ ………… 19

- シッティングバレーボール ………… 20
- ウィルチェアーラグビー ………… 24
- ゴールボール ………… 30

パラリンピック選手ものがたり
- ウィルチェアーラグビー 三阪洋行選手 ………… 34

パラリンピック選手ものがたり
- ゴールボール 浦田理恵選手 ………… 37

パラリンピックを支える人のものがたり

ゴールボール　日本代表女子チームヘッドコーチ
江黒直樹さん………40

もっと知りたい！

障がい者と健常者の壁をこえてスポーツを楽しむ！………43

さまざまな障がい者スポーツ………44

さくいん………46

この本の使い方

　パラリンピック（Paralympic）は、4年に一度、オリンピックの終了後にオリンピックの開催都市でおこなわれる、「もうひとつの（Parallel）オリンピック（Olympic）」です。パラリンピックに出場できるのは、厳しい条件をクリアしたトップクラスの選手だけです。

　この本では、パラリンピックについて理解を深めるために、パラリンピックの歴史や競技、記録などについて、わかりやすく解説しています。

- 本文中で（○ページ参照）と書かれたことがらについては、その先のページでよりくわしく説明しています。
- この本で取り上げている情報は、2014年11月現在のものです。
- 調べたいことがらの掲載ページがわからなかったり、気になることがらがあったら、巻末のさくいんを引いてみましょう。さくいんは、50音順にならんでいます。
- 各競技名は、基本的に日本パラリンピック委員会の定める公式の表記にそろえています。
- 夏季パラリンピックの開催年、開催地については、右の表を参考にしてください。

●夏季パラリンピック

回数	年	開催地
第1回	1960年	ローマ（イタリア）
第2回	1964年	東京（日本）
第3回	1968年	テルアビブ（イスラエル）
第4回	1972年	ハイデルベルグ（旧西ドイツ）
第5回	1976年	トロント（カナダ）
第6回	1980年	アーネム（オランダ）
第7回	1984年	ニューヨーク（アメリカ）
		エイルズベリー（イギリス）
第8回	1988年	ソウル（大韓民国）
第9回	1992年	バルセロナ（スペイン）
第10回	1996年	アトランタ（アメリカ）
第11回	2000年	シドニー（オーストラリア）
第12回	2004年	アテネ（ギリシャ）
第13回	2008年	北京（中華人民共和国）
第14回	2012年	ロンドン（イギリス）
第15回	2016年	リオデジャネイロ（ブラジル）
第16回	2020年	東京（日本）

Football 7-a-side
脳性まひ者7人制サッカー

みどころ！ パラリンピックでは2種類のサッカー競技がおこなわれますが、そのひとつが脳性まひの選手による7人制サッカーです。基本の部分は通常の11人制サッカーと同じで、サッカーの迫力と魅力は変わりません。

▲7人制サッカーは、自力で走ることができる脳性まひの選手によっておこなわれる。

まひのある選手だけでおこなうサッカー

脳性まひ者7人制サッカーは、脳性まひを意味する英単語「Cerebral Palsy」の頭文字をとって、「CPサッカー」とも呼ばれています。この競技に参加できるのは、脳性まひ（脳の損傷によって引き起こされる運動機能の障がい）や脳の外傷などによってまひのある選手にかぎられています。通常のサッカーは11人制ですが、脳性まひ者によるサッカーは7人制でおこなわれます。

1978年に国際脳性麻痺者スポーツ・レクリエーション協会（CPISRA）が設立され、1982年に初の国際大会を開催。1984年のニューヨーク・エイルズベリーパラリンピック（第7回夏季大会）で正式競技となりました。

世界各国でプレーされている国際的なスポーツ

脳性まひ者によるサッカーは7人制のため、通常の11人制サッカーよりも競技場やゴールがひとまわり小さくなっていたり、ルールが一部変更されているなどの特徴があります。しかし、相手をかわすテクニックやチームの戦術、体をはってゴールを守るプレーなど、基本的な部分は通常のサッカーと変わりません。

1984年にパラリンピックの正式競技に加わってからは、年々競技国数が増え、競技レベルも向上しています。現在では、パラリンピックのほかに、「インターナショナルカップ」「アジアパラ競技大会」「ヨーロッパ選手権」といった国際大会が開催され、世界各国で楽しまれています。

▲ロンドンパラリンピックの決勝戦（ロシア対ウクライナ）のようす。

▼ロンドンパラリンピックで優勝したロシアチームの選手（写真左）。決勝戦では1対0の接戦を制し、金メダルを獲得した。

▲ゴール付近でボールをうばい合う選手たち。

国内での競技の普及を目指して

日本では、2001年に日本脳性麻痺7人制サッカー協会が設立され、2014年現在、7チームが登録されています。

日本代表チームは、まだパラリンピックに出場したことはありません。パラリンピックに出場するには、国際大会で結果を残し、世界ランキングの上位にランクインする必要があります。協会では、国内での競技の普及や選手たちの技術力向上を目指して活動しています。

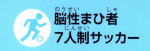

脳性まひ者7人制サッカー

ルール編

●パラリンピックに参加できる障がい

肢体不自由：車いす／立位／脳性まひ
視覚障がい
知的障がい

基本のルール

FIFAの定める11人制サッカーのルールにしたがう

脳性まひ者7人制サッカーの試合は、基本的に国際サッカー連盟（FIFA）の定める11人制サッカーのルールにしたがっておこなわれます。

しかし、運動機能に障がいのあるまひの選手がプレーすることを考慮したうえで、一部、ルールに改正が加えられています。例えば、フィールドやゴールのサイズが小さく、11人制サッカーに適用される「オフサイド」という反則のルールが、7人制サッカーには適用されません。

●11人制サッカーとのちがい●

	オフサイド（反則）	フリーキック・ペナルティキック	スローイン
	攻撃側の選手のポジションに関する反則。（●攻撃側の選手 ●守備側の選手）	反則によりプレーが中断されたとき、相手チームのキックによって試合を再開するプレー。	ボールがタッチラインから外に出たとき、ボールを手で投げて試合を再開するプレー。
11人制	攻撃側の選手が、「オフサイドライン」よりもゴールに近い位置でボールをけったりふれたりしたときに、オフサイドの判定となる。	反則したチームの選手は、ボールから9.15m以上離れなければならない。	ボールを両手で持ち、頭の上から投げなければならない。
7人制	7人制サッカーでは、オフサイドのルールは適用されない。	反則したチームの選手は、ボールから7m以上離れなければならない。	片手で下から投げることが認められている。この場合、ボールがすぐ地面につかなくてはならない。

公平に試合をするためのクラス分け

脳性まひ者7人制サッカーでは、ひとりひとりの選手が、障がいの程度によってクラス分けされています。もっとも障がいの程度が重いクラスがFT5、もっとも程度が軽いクラスがFT8ですが、どのクラスの選手も、車いすや杖を使わずに走れることが出場条件となっています。

出場選手はゴールキーパーをふくめて7人ですが、その中にFT5またはFT6の選手が必ず入っていなくてはなりません。FT5またはFT6の選手がいないチームは、6人で試合をします。また、FT8の選手は、1人しか出場できません。

7人制サッカーのクラス分け

クラス	障がいの程度
FT5	両下肢（両脚）にまひがあるが走ることが可能。
FT6	四肢（両手と両足）に不随的な動きがある（自由に動かない）が走ることが可能。
FT7	走ることが可能な半身のまひ。
FT8	極めて軽度なまひ。

競技場

競技がおこなわれるエリアを「フィールド」といいます。
※カッコ内の数字はオリンピック（11人制サッカー）の場合。

競技時間

試合は、前半・後半それぞれ30分間おこなわれます。前半と後半のあいだには、15分間の「ハーフタイム（休憩）」があります。選手の交代は、1試合につき3人まで認められています。

	7人制	11人制
前半	30分	45分
ハーフタイム		
後半	30分	45分

脳性まひの選手が自由に思いっきりプレーできるよう、さまざまなくふうがされているんだよ。

Football 5-a-side
視覚障がい者5人制サッカー

みどころ！ 1チーム5人でたたかうサッカーですが、ゴールキーパーをのぞく4人は全員視覚に障がいのある選手です。聴覚をとぎすました先に見えるゴールに向かって迫力あるプレーをくり広げます。

▲ロンドンパラリンピックの決勝戦のようす。ブラジル（緑のユニフォーム）が2対0でフランスをくだし、アテネパラリンピック、北京パラリンピックに続いて3連覇を達成した。

「アイマスク」をつけてピッチを自由に走りまわる

視覚障がい者によるサッカーは、1980年のはじめに開発され、ヨーロッパや南米を中心に広まりました。「ブラインドサッカー」とも呼ばれるこの競技が日本に紹介されたのは2001年のことです。パラリンピックでは、2004年のアテネパラリンピック（第12回夏季大会）から正式競技となりました。「アイマスク」という目かくしをつけた選手たちがゴールを目指して自由に走りまわり、私たちの想像をはるかにこえる迫力あるプレーがくり広げられます。

視覚障がい者と晴眼者が協力し合ってゴールを目指す

「視覚障がい者5人制サッカー」という競技名ですが、アイマスクをつけてピッチを走る選手（フィールドプレーヤー）は4人で、ゴールキーパーはアイマスクを着用せず、視覚障がいのない選手（晴眼者）または障がいの軽い選手がつとめます。また、「ガイド（コーラー）」と「監督（コーチ）」も、フィールドプレーヤーに声で情報を伝えます。

ピッチに立つのはフィールドプレーヤーとゴールキーパーの5人ですが、ガイド、監督をふくめた7人で、力を合わせてたたかっているのです。

▼キーパー（右）とガイド（左）。ガイドはゴールをねらう選手たちに、ゴールまでの距離や角度を伝える。

▼競技場には「サイドフェンス」という壁が設けられている。

▲アイマスクをつけてプレーするフィールドプレーヤー。選手たちは、音や声による情報をたよりにボールを運ぶ。

リオパラリンピックでの初出場を目指して

日本では、2002年に日本視覚障害者サッカー協会（現在の日本ブラインドサッカー協会（JBFA）の前身の組織）が設立され、視覚障がい者サッカーが本格的に広まりました。

2003年には「第1回日本視覚障がい者サッカー選手権」が開催され、それ以降、毎年、選手権がおこなわれています。参加チームも年々増えていき、2014年は全国から12チームが出場しました。

また、日本代表チームは世界選手権やアジア選手権などの国際試合にも出場しています。しかし、予選を勝ちぬきパラリンピックに出場したことはまだありません。2016年のリオパラリンピック（第15回夏季大会）出場を目指して、選手の育成・強化に努めています。

視覚障がい者5人制サッカー ルール&用具編

● パラリンピックに参加できる障がい

肢体不自由			視覚障がい	知的障がい
車いす	立位	脳性まひ		

基本のルール

パラリンピックに出場できるのはB1クラスの選手だけ

視覚に障がいがあるといっても、「見えにくさの状態」は人それぞれです。そこで視覚障がい者スポーツでは、選手を右の3つのクラスに分類して、障がいの程度を判定しています。

パラリンピックの視覚障がい者5人制サッカーに、フィールドプレーヤーとして参加できるのはB1クラスの選手だけです。いっぽう、ゴールキーパーおよび監督（コーチ）、ガイド（フィールドプレーヤーに声のガイドをする人。コーラーとも呼ばれる）は、基本的に視覚に障がいのない人（晴眼者）がつとめることになっています。

視覚障がい者スポーツのクラス分け

クラス	障がいの程度
B1	全盲（視力0）から光覚（光を認識する感覚）まで。
B2	矯正後の診断で視力0.03までか、あるいは視野（視力のおよぶ範囲）5度まで。
B3	矯正後の診断で視力0.1までか、あるいは視野（視力のおよぶ範囲）20度まで。

チームの構成の例

フィールドプレーヤー	ゴールキーパー	監督（コーチ）	ガイド（コーラー）
B1クラスのみ	晴眼者または軽度の視覚障がい	おもに晴眼者	おもに晴眼者

視覚障がいの選手と晴眼者が、おたがいに信頼できる関係をつくることが大切だよ。

競技場とポジション

コートのサイズはフットサルと同じです。ただし、両側のサイドラインにあたる部分には、ライン上に「サイドフェンス」が設けられています。

サイドフェンス

サイドライン上に設けられた高さ1メートルほどの壁。ボールが外に出ないためスムーズに試合が進むだけでなく、選手が安全にプレーしたり、ピッチの大きさをとらえたりするのに役立つ。

サイドフェンス

監督（コーチ）

チーム全体を指揮し、サイドフェンスの外側から声のガイドをする。ガイドできる範囲は、ピッチを3つに分けた、中央（ピンクのエリア）の部分。

ガイドできるのはピンクのエリア

ゴールキーパー

ゴールを守ることはもちろん、フィールドプレーヤーに声のガイドをする。ガイドするのは、ピッチを3つに分けた、自分たちのチームのゴール側（青のエリア）。ゴールキーパーはゴールエリアの枠から出ることが認められず、動ける範囲も限られている。

ガイドできるのは青のエリア

アイマスク

音の出るボール

ゴールエリア 2m / 5m / 2m

38〜42m

サイドライン
ペナルティエリア
ゴール
18〜22m

ガイド（コーラー）

相手チームのゴールのうしろに立ち、「6m、45度、シュート！」など、攻撃する選手にゴールまでの距離や角度などを伝える。選手はガイドの声で、ゴールの位置を把握する。ガイドできる範囲はピッチを3つに分けた、相手チームのゴール側（緑のエリア）。

ガイドできるのは緑のエリア

フィールドプレーヤー

アイマスクをつけて、プレーする4人の選手。ボールを持った相手に接近するときは「ボイ！（スペイン語で「行くぞ！」という意味）」と声を出す。声を出さずにボールを取りに行くと反則となる。

競技時間

試合は、前半・後半それぞれ25分間おこなわれます。前半と後半のあいだには、10分以内の「ハーフタイム（休憩）」があります。

前半	25分
	ハーフタイム
後半	25分

ボールの音や声のガイドなどが重要なスポーツだから、観戦中は大きな物音を立てないことがマナーとなっているよ。

2種類のPK

試合中の反則によっては、相手チームに「ペナルティキック」というチャンスが与えられます。視覚障がい者5人制サッカーには、「PK」「第二PK」という2種類のペナルティキックがあります。

PK	第二PK
ペナルティエリア内で反則があった場合におこなわれる。ゴールから6mの距離にボールを置き、ゴールキーパーと1対1でける。	チームの反則の数が前半、後半でそれぞれ3つをこえると、4つ目からは反則するごとに相手チームに第二PKが与えられる。ゴールから8mの距離にボールを置いてける。

視覚障がい者5人制サッカーの用具

「アイマスク」で視覚を公平に

B1クラスの中でも、全盲の選手から光を感じられる選手まで、障がいの程度に差があります。その差をなくすために、4人のフィールドプレーヤーは全員「アイマスク」を着用することが義務づけられています。

また、ボールには特殊な鈴が入っていて「シャカシャカ」と音がします。アイマスクをつけた選手たちは、鈴の音をたよりにボールの位置や転がりを把握するのです。

アイマスク
フィールドプレーヤーの視力の差を公平にするために着用する。

ボール
外周が60～62cm、重さが510～540gのもの。中には鈴が入っている。

もうひとつの視覚障がい者サッカーって？

　パラリンピックの視覚障がい者5人制サッカーに出場できるのはB1クラスの選手だけですが、B2、B3クラスの選手がプレーするサッカーもあります。B1クラスのサッカーが「ブラインドサッカー」と呼ばれるのに対して、B2・B3クラスのサッカーは「ロービジョンフットサル」といいます。

　ロービジョンフットサルではアイマスクを着用せず、ボールも通常のフットサルボールを使います。また、ガイド（コーラー）もいません。

　目の見えにくい（弱視）選手たちが弱視状態のまま、フットサルとほぼ変わらないルールでプレーします。

●2種類のサッカーのちがい●

	ブラインドサッカー	ロービジョンフットサル
選手のクラス	B1	B2・B3
アイマスク	着用する	着用しない
ボールの特徴	特殊な鈴が入っていて「シャカシャカ」と音がなる。	識別しやすいよう、こい色のボールを使用する。
ガイド（コーラー）	あり	なし
サイドフェンス	あり	なし
試合時間	前半・後半それぞれ25分	前半・後半それぞれ20分

障がいの程度や見え方にちがいがある選手どうしが一緒にたたかうからこそ、おたがいを理解してうまくコミュニケーションをとることが大切だよ。

ボールに鈴は入っていないが、弱視の選手でも識別できるよう、こい色のボールが使われる。

Sitting Volleyball
シッティングバレーボール

みどころ! 床におしりをつき、すわった姿勢でプレーする6人制のバレーボールです。ネットが低く、より近いところから威力のあるボールがくるので、スピードと迫力があります。

▲車いすや手足の切断、脳性まひなど、さまざまな障がいの選手が出場することができる。

オランダ生まれのスポーツ

シッティングバレーボールは、1956年にオランダで誕生したスポーツです。戦争などで負傷し、障がいをおった人たちのためのリハビリテーションとして考え出されました。「シッティング(Sitting)」とは英語で「すわったまま」を意味する単語で、選手は全員、床におしりをつき、すわった姿勢でプレーをします。

1967年にオランダで初の大会が開かれ、世界に広がりはじめたシッティングバレーボールは、1980年のアーネムパラリンピック(第6回夏季大会)でパラリンピックの正式競技となりました。ただしこのときは男子のみで、女子シッティングバレーボールがパラリンピックに加わったのは2004年のアテネパラリンピック(第12回夏季大会)からです。

ロンドンパラリンピックで入賞を果たした日本代表女子チーム

　日本では、1992年にはじめてシッティングバレーボールのチームが結成され、海外チームとの交流会などを積極的におこなってきました。

　日本代表男子チームは、2000年のシドニーパラリンピック（第11回夏季大会）から2008年の北京パラリンピック（第13回夏季大会）まで、3大会連続出場を果たしました。日本代表女子チームも、北京パラリンピックで初出場、続けてロンドンパラリンピック（第14回夏季大会）にも出場しています。ロンドンパラリンピックではイギリス戦で初勝利をあげ7位に入賞。男子チームも女子チームも、次のリオパラリンピック（第15回夏季大会）に向けて、さらなる活躍が期待されています。

▼ボールの強さだけでなく、相手にブロックされないコースやタイミングも大切。

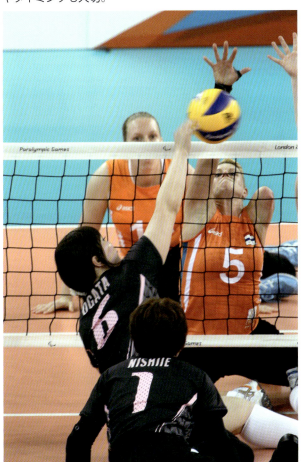

▲ロンドンパラリンピックにて、日本代表女子チームの試合のようす。

▲北京パラリンピックにて、日本代表男子チームの試合のようす。

障がいのある人もない人も一緒に楽しめるスポーツ

　日本でシッティングバレーボールに取り組んでいるのは、障がいのある選手だけではありません。「おしりを床につける」という基本のルールを守れば、障がいのある人もない人も、一緒に楽しめるスポーツだからです（43ページ参照）。

　日本パラバレーボール協会が、毎年開催している全国親善交流大会や「日本シッティングバレーボール選手権大会」には、身体に障がいのある選手、聴覚に障がいのある選手、障がいのない選手が参加でき、障がいのある選手とない選手がまざったチームも出場しています。

シッティングバレーボール
ルール編

●パラリンピックに参加できる障がい

肢体不自由：車いす／立位（切断もふくむ）／脳性まひ
視覚障がい
知的障がい

🎺 基本のルール

でん部の位置でポジションを判断する

ルールは、基本的に一般のバレーボールと同じですが、「すわった姿勢で競技する」という特性から、一部、変更されています。

例えば、シッティングバレーボールでは、※でん部（肩からおしりまでの上半身）の位置によってポジションを判断します。6人の選手は前衛（フロントゾーンで競技する選手）、後衛（バックゾーンで競技する選手）に3人ずつならびますが、でん部がゾーンの中におさまっていれば、手足が外にはみ出しても反則となりません。

🎾 競技場

通常の6人制バレーボールのコートよりもせまく、ネットも低くなっています。

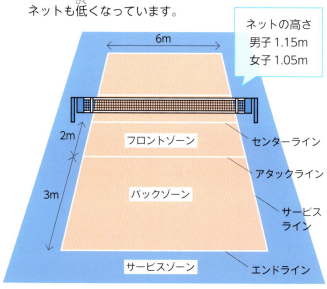

ネットの高さ
男子 1.15m
女子 1.05m

※ シッティングバレーボールでいう「でん部」には「上体（腰から上の部分）」もふくまれ、肩からおしりまでの部位をさす。

●ポジションとサービスの順番●

バックゾーンの右はじ（バックライト）に位置する選手が、サービスゾーンからボールを打って相手のコート内にボールを入れるプレーを「サービス」といいます。サービス権を得ると、選手たちは時計まわりにポジションを移動し、新しくバックライトに位置した選手がサービスをおこないます。

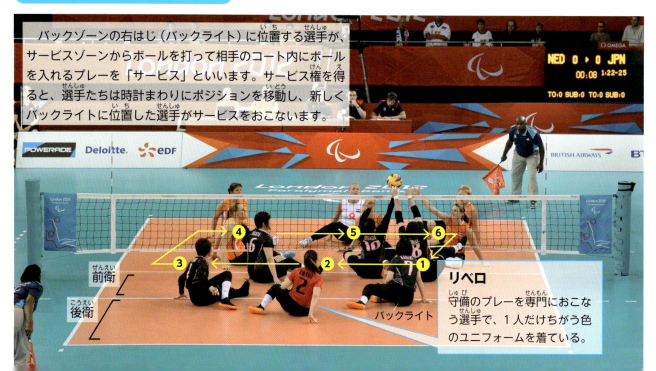

リベロ
守備のプレーを専門におこなう選手で、1人だけちがう色のユニフォームを着ている。

勝敗の決め方

試合は5セットマッチでおこなわれ、先に3セット取得したチームの勝ちとなります。

1～4セットは、先に25点とったチームがそのセットを取得しますが、最後の5セットめだけは、先に15点とったチームがセットを取得します。

▲セットとセットのあいだには3分間の中断があり、コートのモップがけ、コートチェンジなどがおこなわれる。

試合の進め方と得点の入り方

●試合はサービスからはじまります。相手チームへの攻撃を決めたり、相手チームがミスや反則をしてラリーに勝つと、1点の得点になります。

●サービス権をもったチームが得点した場合は、ローテーションをせず、同じ人がサービスを続けます。いっぽう、サービス権をもたないチームが得点した場合は、そのチームにサービス権が移ります。サービス権を受けたチームは、ローテーションをしてサービスをおこない、試合を再開します（ラリーポイント制）。

ボールにさわれず、自分たちのコート内に落ちたり、返球したボールが相手のコートに入らなかったりすると、相手チームの得点になるよ。

シッティングバレーボールならではのルール

サービス
サービスゾーンから相手のコート内へボールを打ちこむこと。

おしりの部分がエンドラインの外に出ていれば、手や脚の一部がコートの中に入ってもよい。

エンドライン

スパイク
相手のコート内へたたきつけるようにボールを打ちこむこと。

でん部を床から離したり持ち上げたりしてはならない。

ブロック
前衛の選手が両腕をのばしながら壁をつくり、相手の攻撃を阻止すること。

前衛は、相手チームのサービスをブロックすることが許される。ブロックをおこなうときは、でん部を床から持ち上げることはできない。

レシーブ
相手からサービスやスパイクを受けること。

ボールに向かって手をのばすとき、一瞬であればでん部を床から離すことが許される（「一瞬」の基準は審判の判断による。）

Wheelchair Rugby
ウィルチェアーラグビー

みどころ！ 競技中に車いすどうしがぶつかり合い、ときには息をのむほど激しい競り合いが展開されます。パラリンピックスポーツの中で、もっとも迫力のある競技です。

▲日本代表チームの中でもばつぐんのチェアスキル（車いすを自在に操作する技術）を誇る池崎大輔選手。

カナダで誕生した新しい車いすスポーツ

ウィルチェアーラグビーは、四肢（両手と両足）に障がいのある人たちができるチームスポーツとして、1977年にカナダで誕生しました。「ウィルチェアー（Wheelchair）」は英語で車いすという意味で、選手は全員、車いすに乗って競技します。カナダを中心にアメリカ、イギリスへと広まっていき、1990年ごろには国際的なスポーツへと発展しました。

ウィルチェアーラグビーがパラリンピックの正式競技となったのは2000年のシドニーパラリンピック（第11回夏季大会）からです。現在、ウィルチェアーラグビーは世界40か国以上に普及しています。

かつては「マーダーボール（殺人球技）」とも呼ばれた激しい競技

　ウィルチェアーラグビーは、相手の攻撃を止めたり、守備を突破するための「タックル（車いすをぶつけること）」が認められている競技で、その激しさからかつては「マーダーボール（殺人球技）」とも呼ばれていました。車いすも激しい衝突にたえられる専用のものを使用します。

▼相手につぶされないパワーも大切だが、パスをつないでいくチームワークも重要（写真上）。タックルした反動で車いすがひっくり返ることもある（写真下）。

▲ボールをうばい合う最中に、勢いあまって車いすがかたむくこともある。

世界トップクラスのレベルを誇る日本代表チーム

　日本にウィルチェアーラグビーが正式に紹介されたのは、1996年、アトランタパラリンピック（第10回夏季大会）が終わった直後のことです。1997年には日本ウィルチェアーラグビー（旧クアドラグビー）連盟が設立され、1999年からは、毎年日本選手権大会が開催されています。

　日本代表チームは、2004年のアテネパラリンピック（第12回夏季大会）で初出場を果たし、2012年のロンドンパラリンピック（第14回夏季大会）まで3大会続けて出場しています。ロンドンパラリンピックでは、3位決定戦に破れ、おしくも4位となりましたが、次のリオパラリンピック（第15回夏季大会）ではメダル獲得を目指しています。現在（2014年11月）、日本代表チームは世界ランキング4位と世界トップクラスのレベルをほこっています。しかし、世界の強豪国とくらべると国内の競技人口は決して多くありません。パラリンピックでのメダル獲得とともに、競技をより多くの人びとに知ってもらうことを目標に活動しています。

ウェルチェアーラグビー
ルール & 用具編

●パラリンピックに参加できる障がい

肢体不自由			視覚障がい	知的障がい
車いす	立位（切断もふくむ）	脳性まひ		

基本のルール

障がいの程度が重い選手も活躍できる「ポイント制度」

　ウィルチェアーラグビーでは、障がいの程度が重い選手にも出場の機会を与えるための「ポイント制度」が導入されています。選手ひとりひとりに対して、3.5点から0.5点までの「持ち点（0.5点きざみに7クラスに分類されている）」が与えられ、コートでプレーする4人の持ち点の合計を8点以下におさめることが定められています。ローポインター（持ち点が低い）の選手がハイポインター（持ち点が高い）の選手の動きをピック（相手の車いすに引っかけるプレー）で阻止するプレーは、会場が盛りあがる場面でもあります。

●持ち点と障がいの程度●

障がいの程度　軽 → 重

持ち点	持ち点の例
3.5点	指も使うことができ、片手でドリブルやパス、車いすの操作ができる。タックルをされても体勢を維持することが可能。
2.0点	ひじをのばすことができ、車いすを全方向に操作できる。ボールのキャッチやパスのときに、上半身を前に乗りだしてひねることができる。
0.5点	腹筋、背筋の機能がなく、握力もない。そのため、車いすを操作するのにひじから手首のあいだを使う。ひじの動作にも制限がある。

●チームの編成●

　ベンチにいる選手は、1チームは12人で、そのうち4人がコートでプレーします。通常のラグビーだと選手交代に人数制限がありますが、ウィルチェアーラグビーにはそれがありません。しかし、4人の持ち点が8点をこえないように調整する必要があります。

コートでプレーする選手	控えの選手
4人	最大8人まで

ウィルチェアーラグビーは男女混合でプレーできるよ。女性が加わる場合は、女性1人につき持ち点の合計8点に0.5点をプラスすることができるよ。

競技場とプレーの方法

コートはバスケットボールのコートと同じ大きさです。バスケットボールのように、攻撃にかける時間などを定めたルールがあります。

ベンチエリア

ヘッドコーチ（監督）や控えの選手、メカニックなどのスタッフが待機するエリア。試合中に車いすが転倒したり、ぶつかり合いによって車いすに不具合が生じたりしたときは、審判がタイムをとり、スタッフがコートに入ってサポートする。

ペナルティボックス

反則（28ページ参照）をとられた選手は、1分間、または相手チームが得点するまでペナルティボックスで待機しなければならない。

12秒ルール

ボールを持った選手は、12秒以内に相手チームのコートにボールを運ばないと相手ボールに。

一度相手コートに運んだボールを自分のコートにもどすと相手ボールに。

40秒ルール

ボールを持って40秒以内に得点しないと相手ボールに。

ゴールポスト

キーエリア

- 守備の選手…キーエリアに入れるのは3人まで。
- 攻撃の選手…キーエリアに入れるのは10秒まで。10秒をこえたら相手ボールになる。

キーエリア

ゴールライン

ボールを持った選手の、車いすの前後4輪のうち2輪がゴールライン（ゴールポストのあいだのライン）をタッチするか、こえれば得点となる。

ゴールライン

競技時間

ゲームは8分のピリオドを4回おこないます。第1ピリオドと第3ピリオドのあとに2分間の「インターバル（休憩）」、第2ピリオドのあとに5分間の「ハーフタイム（休憩）」があります。

試合開始

前半	8分	第1ピリオド
	2分	インターバル
	8分	第2ピリオド
		ハーフタイム
後半	8分	第3ピリオド
	2分	インターバル
	8分	第4ピリオド

試合終了

第4ピリオドが終了した時点で同点の場合、3分間ひと区切りの延長ピリオドをおこなうよ。

おもな反則

ウィルチェアーラグビーでは、車いすをぶつけて相手の動きを妨害するタックルが認められていますが、車輪のうしろ側にぶつけ、車いすを転倒させるタックルは反則（スピニング・ファウル）となります。また、手や腕を使って相手や相手の車いすをおさえつけたりする行為も反則（ホールディング）とみなされます。

▲相手選手にふれないよう、ボールだけたたき落とせば反則にならない。

ウィルチェアーラグビーの用具

攻撃用と守備用、2種類の競技用車いすを使い分ける

ウィルチェアーラグビーでは、激しいプレーにたえられる頑丈な車いすを使用します。専用の車いすには、前後4輪のほか、転倒防止用の小さな車輪（アンタイティップ）も備えつけられています。手を保護するグローブやバレーボールを参考にしてつくられたボールも、競技に欠かせないアイテムです。

ボール
バレーボール5号球（高校生以上の試合に使われる球）をもとに開発された専用球を用いる。

グローブ
表面が吸着しやすいつくりになっていて、握力の弱い選手でも車いすやボールをコントロールできるようになっている。

● **攻撃用の競技用車いす**
タックルで攻撃されても動きが止められることがないよう、フロント部分のバンパーが短くつくられている。競技中は車輪が壊れないようカバー（スポークガード）をつける。

スポークガード

アンタイティップ
転倒防止用の車輪。車いすの後方に取りつけられている。

ウィング
相手チームの攻撃からのがれるために備えられている装置。

バンパー

車輪はかんたんに取り外すことができるようになっているよ！

● **守備用の競技用車いす**
フロント部分のバンパーが長くつくられ、相手の車いすの動きをふうじることを目的としたつくりとなっている。守備といいながら、攻撃性の高い車いすである。

ベルト
プレー中に体を固定する役割を果たす。

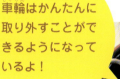

バンパー

ウィルチェアーラグビーの車いすは強度も必要だけれど、コートの中をすばやくかけぬけるための軽量化も求められているよ。強度を保ちながら、重量を軽くした車いすの開発が進められているよ。

攻撃のポジションの選手

守備のポジションの選手

29

Goalball
ゴールボール

みどころ！ ゴールボールはオリンピックにはない、パラリンピックならではの競技です。3名1チームの選手たちが、協力しあって攻防をくり広げるチームワークが見どころです。

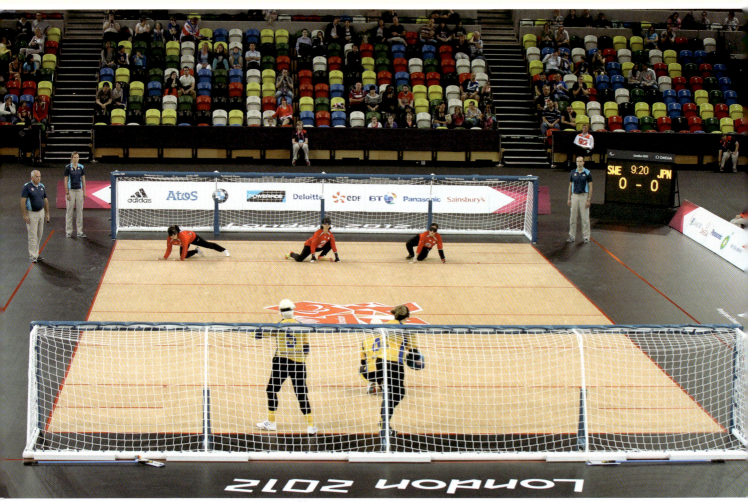

▲ロンドンパラリンピックにて、スウェーデン戦にいどむ日本代表女子チーム。

視覚障がいの人たちのために生み出されたスポーツ

ゴールボールは、第二次世界大戦で視覚に傷害を受けた軍人のリハビリテーションとして考え出されたスポーツです。1946年にヨーロッパで誕生し、1976年のトロントパラリンピック（第5回夏季大会）から正式競技となりました。1978年には世界選手権が開かれ、世界的な競技へと発展していきました。

視覚障がいの選手が参加するゴールボールでは、「アイシェード」という目かくしをつけてプレーします。また、ボールには鈴が入っていて、選手たちは、鈴の音や足音などをたよりにボールのコースをよみ、全身を使ってゴールを守るのです。

ロンドンパラリンピックで日本代表女子チームが世界一に

日本にはじめてゴールボールが紹介されたのは1982年のことです。デンマークの講師が来日し、盲学校で競技の紹介がおこなわれましたが、当時は全国的に広まることはありませんでした。しかし、1992年にゴールボールのルールの日本語訳がつくられ、そこから競技を広める活動が本格的におこなわれるようになったのです。その後、全国の障がい者スポーツセンターなどで教室が開かれ、ゴールボールに取り組む人たちが増えていきました。1994年には日本ゴールボール協会がつくられ、国内では1995年から毎年、日本ゴールボール選手権大会や、その予選大会が開かれています。

日本代表女子チームは、2004年のアテネパラリンピック（第12回夏季大会）から3大会連続でパラリンピックに出場、2012年のロンドンパラリンピック（第14回夏季大会）では、日本パラリンピック史上初となる「団体での金メダル獲得」という輝かしい成績を残しました。

▲ゴールボールには、ボールの動きを読みとる反射神経や瞬発力、勝負のかけ引きのためのテクニックや持久力などが求められる。

▶ロンドンパラリンピックで金メダルに輝いた日本代表女子チーム。決勝戦では、強敵・中国を相手に1対0で試合を制し、「ナンバーワン」の称号を手にした。

ゴールボール
ルール&用具編

● パラリンピックに参加できる障がい

肢体不自由			視覚障がい	知的障がい
車いす	立位	脳性まひ		

基本のルール

視覚障がいの選手が3名1チームでゴールを守る

ゴールボールは、視覚障がいの選手が3名1チームでおこなう競技です。

攻撃のときは鈴の入ったボールをゴールに向かって投げ、守備のときは幅9メートルのゴールを3人で守ります。男子選手の試合では、ボールのスピードが時速50キロメートルに達することもあるほど迫力のあるスポーツです。選手たちはおたがいに声をかけあってコミュニケーションをとり、3人で連携して戦術を実践していきます。

▲耳に意識を集中させ、ゴールを守る日本代表女子チーム。守備からすぐ攻撃にうつる「速攻」も効果的なプレイのひとつ。

ゴールボールの用具

専用の目かくしとボールを使う

選手は全員「アイシェード」という専用の目かくしを着用します。これは、選手の障がいの程度によって、試合に有利・不利が生じないようにするためです。

また、バスケットボールとほぼ同じ大きさのボールの中には鈴が入っていて、視界がふさがれていても、鈴の音を聞いてボールの位置が把握できるようになっています。

アイシェード
アイシェードをつけることによって、同じ条件で競技をすることができる。

ボール
鈴の入ったボールは、周囲が76cm、重さが1.25kgで、かたいゴムでできている。

競技場
コートの広さは縦9メートル×幅18メートルで、バレーボールと同じです。3メートルごとにラインが引かれ、3つのエリアに分かれています。

ゴール
ゴールの大きさは高さ1.3メートル×幅9メートル。相手ゴールにボールを入れると得点（1点）となる。

ライン上のくふう
アウトラインをのぞくすべてのラインに、たこ糸を通したテープをはっている。糸の凹凸で、選手は手や足でふれて位置を確認することができる。

ラベル: チームエリア／オリエンテーションエリア／ランディングエリア／ニュートラルエリア／サイドライン／アウトライン／たこ糸

●試合の進め方●
- ゲームは審判の「プレー」のコールからはじまります。
- 攻撃の選手は、自陣のチームエリア（オリエンテーションエリアとランディングエリアを合わせたエリア）内にボールをつき、バウンドしたボールが敵陣のエリアに達するように投げなければなりません。
- 守備は、自陣のチームエリア内でおこないます。チームエリアからこえて守備をおこなうと、「イリーガルディフェンス」という反則となります。
- 反則をすると、相手チームに「ペナルティスロー」が与えられます。反則をした選手がひとりでコートに残り、相手チームの攻撃を受けます。

投球にも、変化球やボールの鈴がならないように回転をかけるなど、さまざまなテクニックがあるよ。

●競技時間●
試合は前半・後半それぞれ12分間おこないます。前半と後半のあいだには、3分間の「ハーフタイム（休憩）」があります。

前半・後半が終わって同点の場合は延長戦となります。延長戦は前半・後半各3分で、どちらかが得点した時点で試合終了となります（ゴールデンゴール方式）。

試合開始

前半	12分
ハーフタイム	
後半	12分

同点だったら…

延長戦

前半	3分
ハーフタイム	
後半	3分

試合終了

パラリンピック 選手ものがたり

ウィルチェアーラグビー
三阪洋行 選手

車いすどうしがぶつかり合う激しいスポーツに魅了され、
三阪洋行選手は世界を目指して挑戦を続けました。

▶北京パラリンピックにてドイツ戦にいどむ三阪選手。高校時代と同じ背番号「8番」をつけて出場した。

高校生のとき
ラグビーの練習で大ケガ

　三阪選手はラグビーをする高校生たちのあこがれの地、大阪の花園ラグビー場のすぐ近くで育ちました。中学校から本格的にラグビーをはじめ、ラグビーの強豪校として有名な大阪府立布施工業高校（現在の大阪府立布施工科高校）に進学しました。高校では花園を目指して、毎日厳しい練習に打ちこみました。その中で三阪選手は、ラグビーの花形ポジション、ナンバーエイト（背番号8）を任されるようになっていました。ところがある日、練習をしていたときのことです。タックルを受けてたおれた三阪選手は首に大ケガをおい、体をまったく動かすことができなくなりました。

　手術は無事成功しましたが、医師から「もう自分の足では歩けない」と告げられました。

　リハビリのために入院生活を送っていたとき、体の機能を回復させる訓練を担当していた作業療法士のスタッフが三阪選手に話しかけました。

「車いすでやるラグビー、知ってる？」

「え、車いすのラグビーってどうやるん？」
　その夜、三阪選手はベッドの中で考えました。パスはどうやって出すんだろう？　スクラムは組めるのかな？　芝生の上を車いすで走れるのだろうか？　ケガをしてからはじめて、少しワクワクしている自分がいました。
　翌日、ニュージーランドの代表選手たちが車いすでラグビーの試合をしているビデオを見せてもらいました。グラウンドではなく体育館、慣れ親しんだ楕円のボールではなくバレーボールのような丸いボールでした。最初はがっかりしましたが、試合がはじまるとすぐに、車いすがぶつかり合う激しさ、スピード、その迫力に目がくぎづけになりました。「これは確かにラグビーだ」。三阪選手はそう思いました。

単身でニュージーランドへ ウィルチェアーラグビー留学

　退院後、ちょうど大阪にも車いすのラクビー、ウィルチェアーラグビーのチームができることになり、三阪選手は参加することに決めました。
　まだ車いすで生活する自分が受け入れられず、外出することにも臆病になっていました。でもそこには自分と同じような車いすの仲間がいました。ここにいるときだけは時間がとても充実し、気持ちが少しだけ強くなりました。
　あるとき、ウィルチェアーラグビー用の車いすの展示会を見に行った三阪選手は、ニュージーランドから来ていた車いすをつくる会社の人に会いました。それがきっかけとなり、ニュージーランドへ留学することに。
　はじめての海外。最初はことばもわからず、世界トップレベルのニュージーランドの選手たちとの練習にも、なかなかついていけません。人と会うのも苦しくなり、とうとう熱を出して寝こんでしまいました。

▲北京パラリンピックでの中国戦のようす。日本は7-8位決定戦で中国を制し、7位となる。

　「いったい自分は何をしているんだろう。自分が変わらなければ、何も変わらない」
　ベッドの中でそう気づいた三阪選手は、翌日、髪の毛を丸がりにして決意を固めました。毎日10時間くらい英語の勉強をしながら、ウィルチェアーラグビーの練習にも参加し、積極的に仲間に声をかけて、プレー技術も身につけていきました。4か月の留学生活で、大きく成長した三阪選手がいました。

アスリートとしての誇りと挫折

　本場のニュージーランドで厳しい練習をたえ抜いた三阪選手は、帰国後、一躍注目をあび、日本代表選手に選ばれました。そして、翌年おこなわれたアテネパラリンピック（第12回夏季大会）に出場。日本のウィルチェアーラグビーチームが、はじめて出場したパラリンピックでした。
　開会式では7万人の大観衆の中、日本代表としてその場にいる自分に、アスリートとしての誇りを感じました。
　「4年に一度の特別な大会。ここで自分の力を出しきろう」
　しかし予選リーグは全敗で、最下位の8位という結果に終わりました。不完全燃焼に終わったはじめてのパラリンピック。くやしさを胸に、

▲「2014 ジャパンパラウィルチェアーラグビー競技大会」では日本代表Bチームのヘッドコーチをつとめた。

そこから「世界」という目標に向けて新たなスタートを切ることになります。

ウィルチェアーラクビーは、激しいぶつかり合いに目がいきがちですが、実は緻密な戦略のうえにおこなわれるスポーツです。

この競技の歴史が浅い日本が、世界トップクラスの強豪国に追いつくためには、個人の技術をのばすことはもちろん、さまざまな戦略をこなすための、実践的な経験が不可欠です。

日本代表チームは海外遠征に出かけて国際試合の経験を積みました。さらに三阪選手はニュージーランドのリーグに参戦して、世界を舞台にしてたたかえる技術、戦略を身につけました。世界との差は確実に縮まっていきました。

その手ごたえをもって、いよいよ雪辱をかけた北京パラリンピック(第13回夏季大会)がはじまりました。この大会の結果は7位。本番で力を出しきれない、勝負の厳しさを三阪選手は否応なく味わうことになりました。

未来に向かって新たな道へ

ウィルチェアーラグビー一筋だった三阪選手に転機が訪れます。北京パラリンピックから3年後、東京にある証券会社に入社しました。選手としてのこれまでの活躍が評価されて、スポーツ雇用というかたちで採用され、会社での仕事をこなしながら、ウィルチェアーラグビーの選手としての活動も続けることができました。

三度目の出場となるロンドンパラリンピック(第14回夏季大会)は、副キャプテンとして参加。コンディションが良くなくて、コートでプレーすることはかないませんでしたが、チームでの自分の役割を果たそうと監督をサポートし、日本代表チームは4位という成績を残すことができました。

三阪選手は今、選手としては一線を退き、次世代を育成する指導者の立場にあります。また、最近は講演会などの場にも積極的に出ています。「私はケガによって人生の途中から障がいを持つようになりました。できないことが増えてしまい、つらく、苦しいときもありました。でもウィルチェアーラグビーに出合い、自分にはまだできることがあることに気づきました。ダメだとあきらめるのではなく、できると信じて夢を追いかけることのすばらしさ。私自身が経験し、感じてきたことをたくさんの人たちに伝えたいと思っています」

三阪選手は自分の経験をことばにかえて、障がい者スポーツの魅力を伝え、さらに障がいのある人たちを受け入れ、理解してくれる社会を目指す活動に取り組んでいます。

● プロフィール

三阪洋行
みさか ひろゆき

1981年、大阪府生まれ。高校3年生のときラグビーの練習中に頚椎を損傷。ウィルチェアーラグビーと出合い、単身ニュージーランドに留学。アテネパラリンピックから3大会連続で日本代表選手となる。現在は指導者としても活躍する。

パラリンピック 選手ものがたり

ゴールボール
浦田理恵選手

ゴールボール日本代表チームの中心選手として活躍する浦田選手。ロンドンパラリンピックで念願の金メダルをとりました。

▲神経をとぎすましボールのコースを探りあてる浦田選手（ロンドンパラリンピックにて）。

突然の視力低下で見えない生活のはじまり

熊本県出身の浦田選手は、高校を卒業後、学校の先生になることを夢見て福岡でひとりぐらしをしていました。ところが、あと3か月で卒業というころ、目の異変に気づきました。教室で一番前の席にすわっていても、黒板の字が見えにくいのです。それからだんだん視力が低下して、日常生活にも支障が出てくるようになりました。これでは教員になれないと、夢をあきらめなければなりませんでした。

浦田選手は目が見えなくなる現実を受け入れられず、離れてくらす家族にも打ち明けずにいました。しかし、たびたび電話でようすをたずねてくる両親に、正直に話さなければと決意して、22歳のときに実家に帰りました。

わずかな視力と記憶をたよりに故郷の駅に降り立つと、懐かしい母親の声が聞こえました。「あのね、お母さん。私、目が見えなくなってね」

そう告白すると、お母さんは驚き、その場で泣きくずれてしまいました。それでも家族は浦田選手の将来を考え、自立できるようにと背中をおしてくれました。再び福岡でひとりぐらしをしながら、訓練学校に通うことになったのです。やがて、料理や身のまわりのこともひとりでできるようになり、さらに、一生働ける技術を身につけようと、マッサージ師を目指すことを決めました。

アテネパラリンピックが ゴールボールとの出合い

浦田選手は国立福岡視力障がいセンターにあるマッサージの専門学校に通いはじめました。

ある日、学校で友だちとアテネパラリンピック（第12回夏季大会）の放送を聞いていると、ちょうどゴールボール女子の3位決定戦をやっていました。そこで日本代表チームが勝利して、銅メダルを獲得する瞬間に出合ったのです。学校の体育の授業でゴールボールを体験したことはありましたが、そこで活躍する選手たちはとても輝いていました。

「わぁ、カッコイイなぁ。私もやってみたい」

放課後、ゴールボールの選手たちが学校の体育館で練習していたのを知っていたので、浦田選手はすぐに自分も参加させてほしいとたのみに行きました。そこにはアテネパラリンピックで活躍した小宮正江選手と、日本代表女子チームのヘッドコーチをつとめる江黒直樹先生がいました。江黒先生はこの学校の体育教官でもありました。

「アテネパラリンピック、見ました。感動しました。私もやってみたいです」

浦田選手は日本トップレベルのゴールボールチームに、飛びこんでいったのです。

何度もくり返して 体で覚える

江黒先生は、まず体力づくりと体づくりのために、ルームランナーで歩くところから指導をはじめました。トレーニングの合間に、ときどきコートに入れさせてもらいました。でもボールの重さは1.25キログラムもあり、片手でなく、両手で持って転がすのが精一杯でした。

それから少しずつ体力もついて、やっと本格的なトレーニングがはじまり、まずディフェンスのフォームから学びました。目が見えないため、人の動きを見てまねをすることができません。すると小宮選手が体をさわらせてくれ、手の角度、足の出し方などを確かめながら覚えていきました。一度できたと思っても、次の日にやるとできなかったり。何度も何度もくり返し、体が覚えるまで続けました。

浦田選手はこれまでほかのスポーツをした経験がなかったため、素直にゴールボールの技術を身につけていくことができました。そして何よりも、あきらめずに続ける努力があって、次第にゴールボールの才能を開花させていきました。

くいが残った 北京パラリンピック

2008年、浦田選手はついに日本代表チームの一員として、北京パラリンピック（第13回夏季大会）に出場することになりました。

そのころすでに、浦田選手はセンタープレーヤーとして活躍していました。センタープレーヤーは、ディフェンスのかなめ。左右の選手に指示を出しながら、ゴールを守ります。ところが浦田選手ははじめてのパラリンピックにとても緊張していました。

「私がミスをして、失点したらどうしよう」

気持ちの弱さがプレーにも出てしまい、実力

▼浦田選手はセンターポジションにかまえ（中央）、鉄壁のディフェンスで日本代表チームを勝利に導いた。

▲声援をおくってくれた観客とともに勝利のよろこびをわかちあう日本代表チーム（ロンドンパラリンピックにて）。

を出しきれないままに、出場チーム8か国中7位という結果に終わってしまいました。

パラリンピックの閉会式に参加し、聖火が消えていくなか、次のパラリンピックこそはと、心に誓いました。

団体競技ではじめての金メダル

北京パラリンピックでのくやしさを胸に、浦田選手のたたかいが再びはじまりました。どうすれば勝てるか。まず心の弱さを克服するため、チームの仲間と一緒に専門の先生からメンタルトレーニングを受け、自分が勝つことをイメージして、大事な場面でも緊張しないで力を発揮できるような心の持ち方を身につけました。さらに外国の選手のパワーあるボールも防げるよう、筋力トレーニングを実践しました。

「今の自分にとって一番大切なことは、パラリンピックで優勝すること」

浦田選手はこれまで、仕事の合間にゴールボールの練習をしていましたが、仕事とスポーツの両方をサポートしてくれる団体に所属し、毎日練習ができる環境を整えました。

こうしてむかえたロンドンパラリンピック（第14回夏季大会）。順調に勝ち進み、決勝戦は世界ランキング1位、公式試合で一度も勝ったことがない中国との対戦です。

日本代表チームは、この日のために綿密な戦略を練っていました。相手チームのもっとも得点力のある選手にボールがわたらないよう、投球のコースをくふうすることです。

「日本のチームワークで必ず0点で守り切る」

その戦略がはまって、日本代表チームが取った1点を守りきり、勝利。金メダルをとることができました。日本のパラリンピック史上、団体競技で金メダルを獲得するのははじめてのことでした。

「私たち選手は、コーチや仲間、運営の方々、トレーニングや栄養面など、とても多くの人たちに支えられてきました。だからどうしても金メダルをとりたかった。金メダルをとることで支えてくれた人たちに、一緒にがんばってよかったとよろこんでもらいたかったのです」

浦田選手にとってゴールボールは、生きていくうえで自分を表現する大切な場所。この競技を通して教えてもらった大事なことがあります。

「つらいときこそ笑顔。勝利の女神はニコニコ笑顔が好きなんです」

たくさんの努力を重ねてきた浦田選手。だからこれからも、輝く笑顔で歩み続けます。

● プロフィール

浦田理恵
うらた　りえ

1977年、熊本県生まれ。ゴールボール日本代表チーム選手。20歳のときに網膜色素変性症を発病し視力が低下。マッサージ師の資格をとるために鍼灸の訓練学校に通っているときにゴールボールと出合う。北京、ロンドンと二度のパラリンピックに出場。

パラリンピックを支える人のものがたり

ゴールボール
江黒直樹さん
日本代表女子チームヘッドコーチ

長く視覚障がい者のスポーツ指導にたずさわってきた江黒コーチ。ゴールボールに出合い、選手とともに世界一にいどみました。

▶日本代表チームの合宿にて、選手にフォームを指導する江黒コーチ。

みんなが同じ条件で競うのがゴールボールの魅力

　江黒直樹コーチは、ふだんは視覚に障がいがある人たちが通う学校で、体育を教えています。それと同時に、ゴールボール日本代表女子チームのヘッドコーチもつとめています。
　江黒コーチがゴールボールと出合ったのは2000年でした。福岡にある視力障がいセンターで働いていたときに、研修でゴールボールという競技を知りました。当時、日本ではまだゴールボールはあまり知られていませんでしたが、視覚に障がいのある人たちが楽しめるスポーツとして九州に広めようと、授業や部活動に取り入れることにしました。
　これまで江黒コーチはフロアバレーボール※1やサウンドテーブルテニス※2など、視覚障がい者がおこなうスポーツの指導にあたっていましたが、ゴールボールには特別な魅力を感じました。それは全員がアイシェードという目かくし

※1　フロアバレーボール…視覚障がいの人もプレーできるように開発されたバレーボール。
※2　サウンドテーブルテニス…視覚障がいの人でもプレーできるように開発された卓球（45ページ参照）。

をつけ、みんなが同じ条件でプレーできること。また人に指示されるのではなく、選手が自分の意志で動き、たたかえることにこの競技のすばらしさを感じました。そしてもうひとつ心に留めた理由がありました。

「実は以前、長野パラリンピック（第7回冬季大会）でスキーの伴走者（視覚障がいの選手をサポートするスタッフ）としての参加を目指していましたが、夢はかないませんでした。ゴールボールがパラリンピックの競技であると知り、指導者としてパラリンピックに出場できたらいいなと、そのときは漠然と思いました」

金メダルを目指してチームワークをみがく

江黒コーチは学校の部活動としてゴールボールの指導に力を入れ、チームは翌年の全日本大会で優勝を果たしました。そこで選手が日本代表に選ばれたことから、江黒コーチもスタッフとして日本代表チームの合宿に参加することになりました。

そこでの指導力が認められて日本代表チームのヘッドコーチに選ばれ、はじめて出場したアテネパラリンピック（第12回夏季大会）では銅メダルを獲得することができました。ところが金メダルを目指した次の北京パラリンピック（第13回夏季大会）では、7位という結果に終わってしまいました。

「このころから世界のゴールボールが急激に変化してきたのです。海外の選手はボールに変化をつけたり、パワーでおしてくる。体格的に劣る日本の選手は、このままでは勝てない。厳しい現実に直面しました」

江黒コーチは次のロンドンパラリンピック（第14回夏季大会）で勝つために、何をしたらいいかを考えました。そして日本代表チームの

▲江黒コーチ率いる日本代表チームの入場のようす（写真上）。試合中にタイムアウトをとり、選手たちと作戦を練ることもある（写真下）。

良さであるチームワークを生かした、独自の戦略を練りました。また、選手たちには生活や栄養面などでも細かな指導をおこなって、アスリートとしての成長を目指したのです。

4年間をかけて勝利への道筋を描き、選手とともに厳しい練習を重ね、ついにロンドンパラリンピックでは最大のライバル、中国を破り、金メダルをつかみました。

▲浦田選手にディフェンスの指示をする江黒コーチ（2014ジャパンパラゴールボール競技大会にて）。

厳しい練習にたえてパラリンピックを目指す選手たち

　ゴールボールの日本代表選手のように、パラリンピックに出場する選手の中には、大人になってからその競技をはじめた人も多くいます。競技経験が短くてもパラリンピックに出場し、メダルを手にする人もいます。だからといって、それはたやすいことではありません。
「現在のパラリンピックの競技は、とてもハイレベルなものです。たとえ競技をはじめてから短期間であっても、選手たちはその期間、並外れた厳しいトレーニングを積んで、勝利を目指します。浦田選手をはじめとするゴールボールの代表選手たちも、毎日厳しい練習を重ねてきたから、その成果を手にすることができたのです。アスリートとしての彼女たちのすごさ、がんばりを評価してほしいと思います」

　そして江黒コーチ自身も、指導者として選手たちを支えながら多くのことを学びました。
「私は彼女たちの指導を通して、"不可能はない"ということを教えられました。どんなに難しいことでも、何かくふうをすることで可能性が出てくる。だからあきらめずに、可能性を信じてがんばることが大切。それは人生のすべてに当てはまることでしょう」

● プロフィール

江黒直樹
えぐろ　なおき

1965年、埼玉県生まれ。ゴールボール日本代表女子チームヘッドコーチ。日本体育大学を卒業後、視力障がい者センター等で体育教官をつとめる。アテネパラリンピック、ロンドンパラリンピックではチームを銅、金メダルに導く。

もっと知りたい！
障がい者と健常者の壁をこえてスポーツを楽しむ！

　障がい者スポーツは、障がいのある人でもスポーツを楽しめるよう、ルールが一部変更されたり、特別に開発された用具を使用したりしていますが、そのスポーツを楽しむのは障がいのある人たちだけではありません。

　例えば、視覚障がい者5人制サッカー（ブラインドサッカー／14ページ参照）やゴールボール（30ページ参照）では、アイマスクやアイシェードなどの目かくしをすることで健常者も同じ条件でプレーすることができます。また、シッティングバレーボール（20ページ参照）の場合も、床にすわってしまえばプレーヤーの条件は全員同じになります。

　このように、ちょっとしたルールの変更や用具のくふうで、障がい者と健常者がともにスポーツを楽しみ、よろこびを分かちあうことができるところが、障がい者スポーツの魅力でもあります。

◀シッティングバレーボールの親善試合のようす。シッティングバレーボールの競技人口は1000人ほどだが、そのうちの65％が健常者だそう。

▼ブラインドサッカーの地域リーグのようす。パラリンピックでフィールドプレーヤーをつとめるのはB1クラスの選手だけだが、国内の大会では、晴眼者の出場も認められている。

競技をするほかにも、大会やイベントを手伝うボランティアスタッフや、大会への参加などを支援する「※スポーツ指導員」という立場で障がい者スポーツにかかわっている人たちもいるよ。

※指導員になるには、18歳以上で、専門の研修を受ける必要があります。

もっと知りたい！ さまざまな障がい者スポーツ

パラリンピックの20競技以外にも障がい者スポーツはたくさんある！

2012年のロンドンパラリンピック（第14回夏季大会）の競技数は20競技でしたが、パラリンピックの正式競技以外にも、さまざまな障がい者スポーツがあります。

例えば、4年に一度、アジアパラリンピック委員会（APC）が開催する「アジアパラ競技大会」では、ボウリングや車いすダンスなどの競技もおこなわれています。また、国民体育大会（国体）終了後に、同じ開催地でおこなわれる「全国障害者スポーツ大会」では、※知的障がい者を対象にした競技・種目も数多く実施されています。

※ロンドンパラリンピックで知的障がいの選手の出場が認められたのは、水泳・陸上競技・卓球の3競技のみ。

●アジアパラ競技大会

4年に一度、夏季パラリンピックの中間年におこなわれるアジア地域の障がい者スポーツ大会です。2014年に第2回大会が韓国の仁川でおこなわれ、アジア地域の41か国が参加しました。2014年の実施競技は23競技で、パラリンピックの正式競技のうち一定の参加数が見こめる競技と、そのほかの4競技がおこなわれました。

アジアパラ競技大会ならではの競技

バドミントン　車いすダンス
テンピンボウリング　ローンボウルズ

●全国障害者スポーツ大会

　障がいのある人びとの社会参加や、障がいのある人びとへの理解を深めることを目的として開催される大会です。そのため、障がいの種類・程度におうじて、さまざまな競技や種目がおこなわれています。

　例えば、バレーボールでは「聴覚障がい者バレーボール」「知的障がい者バレーボール」「精神障がい者バレーボール」の種目が実施されています。

全国障害者スポーツ大会ならではの競技

聴覚障がい者バレーボール
知的障がい者バレーボール
精神障がい者バレーボール
サウンドテーブルテニス
フライングディスク
グランドソフトボール
フットベースボール　など

▲視覚障がい者のために開発されたサウンドテーブルテニス（卓球）。アイマスクを着用する。

◀フライングディスクには、距離を競う「ディスタンス」と、的をねらってその通過回数を競う「アキュラシー」のふたつがある。

さくいん

『まるわかり！パラリンピック　チームでたたかう！　夏の競技②』に出てくる、おもな用語をまとめました。見開きの左右両方に出てくる用語は、左のページ数のみ記載しています。

●大会名さくいん

あ

アーネムパラリンピック
（1980年／第6回夏季大会） ……………… 20

アジアパラ競技大会………………………… 44

アテネパラリンピック（2004年／第12回夏季大会）
………………… 14, 20, 25, 31, 35, 38, 41

アトランタパラリンピック
（1996年／第10回夏季大会）……………… 25

さ・た

シドニーパラリンピック
（2000年／第11回夏季大会）…………… 21, 24

全国障害者スポーツ大会…………………… 44

トロントパラリンピック
（1976年／第5回夏季大会）……………… 30

な・は

長野パラリンピック（1998年／第7回冬季大会）
…………………………………………… 41

ニューヨーク・エイルズベリーパラリンピック
（1984年／第7回夏季大会）……………… 10

北京パラリンピック（2008年／第13回夏季大会）
…………………………… 21, 36, 38, 41

ら

リオパラリンピック（2016年／第15回夏季大会）
………………………………… 15, 21, 25

ロンドンパラリンピック（2012年／第14回夏季大会）
……………………… 21, 25, 31, 36, 39, 41, 44

●項目さくいん

あ

アイシェード………………………… 30, 32, 43

アイマスク………………………… 14, 17, 18, 43

アジアパラリンピック委員会（APC）………… 44

イリーガルディフェンス……………………… 33

ウィルチェアーラグビー………………… 4, 24, 34

浦田理恵………………………………………… 37

江黒直樹………………………………………… 40

オフサイド……………………………………… 12

か

ガイド…………………………………… 15, 16, 19

監督………………………………………… 15, 16

競技用車いす……………………………………… 28

グランドソフトボール…………………………… 45

クラス（分け）………………………… 13, 16, 19

車いすダンス……………………………………… 44

グローブ…………………………………………… 28

コーチ……………………………………… 15, 16

コーラー…………………………………… 15, 16, 19

ゴールキーパー…………………………… 15, 16

ゴールデンゴール方式…………………………… 33

ゴールボール……………………… 5, 30, 37, 40, 43

国際サッカー連盟（FIFA）……………………… 12

さ

サービス…………………………………………… 22

サイドフェンス…………………………… 15, 17, 19

サウンドテーブルテニス………………………… 45

CPサッカー	10		ホールディング	28
視覚障がい者5人制サッカー	3, 14, 43			
シッティングバレーボール	4, 20, 43		**ま**	
スパイク	23		三阪洋行	34
スピニング・ファウル	28		持ち点	26
スポーツ指導員	43			
スローイン	12		**ら**	
精神障がい者バレーボール	45		ラリーポイント制	23
			リベロ	22
た・な			レシーブ	23
タックル	25, 28		ロービジョンフットサル	19
知的障がい者バレーボール	45		ローンボウルズ	44
聴覚障がい者バレーボール	45			
テンピンボウリング	44			
脳性まひ者7人制サッカー	2, 10			

は

バドミントン	44
フィールドプレーヤー	15, 16
フィールド	13
フライングディスク	45
ブラインドサッカー	14, 19, 43
フリーキック	12
ブロック	23
フットベースボール	45
ペナルティキック	12, 18
ペナルティスロー	33
ポイント制度	26
ボール（ウィルチェアーラグビー）	28
ボール（ゴールボール）	32
ボール（視覚障がい者5人制サッカー）	18

- ●監修
  ### 公益財団法人 日本障がい者スポーツ協会
  パラリンピック東京大会を契機に、国内の身体障がい者スポーツの普及、振興をはかる統括組織として「財団法人日本身体障害者スポーツ協会」の名称で、昭和40年に設立。平成11年、三障がいすべてのスポーツ振興を統括し、選手の育成、強化をになう統括組織として「財団法人日本障害者スポーツ協会」に組織名を改称するとともに、協会内部に日本パラリンピック委員会を創設。平成23年に内閣府認定のもと公益財団法人として設立登記。名称を「公益財団法人日本障がい者スポーツ協会」に改称する。

- ●装丁・デザイン　鷹觜麻衣子
- ●DTP　　　　　　スタジオ ポルト
- ●イラスト　　　　坂川由美香　高山千草
- ●執筆協力　　　　酒井かおる　桑名妙子
- ●校正　　　　　　小石史子
- ●編集制作　　　　株式会社童夢

- ●写真提供・撮影
  有限会社エックスワン
  日本ブラインドサッカー協会

- ●取材協力
  三阪洋行
  日本ウィルチェアーラグビー連盟

  浦田理恵
  江黒直樹

  日本パラリンピック委員会加盟競技団体

まるわかり！パラリンピック ●全5巻●

パラリンピックってなんだろう？

スピード勝負！　夏の競技①
車椅子バスケットボール・水泳　ほか

チームでたたかう！　夏の競技②
サッカー・ゴールボール　ほか

限界をこえる！　夏の競技③
陸上競技・ボッチャ　ほか

雪・氷のうえで競う！　冬の競技
アルペンスキー・アイススレッジホッケー　ほか

全巻セット定価：15,400円
（本体14,000円＋税10％）
ISBN978-4-580-88479-3

まるわかり！ パラリンピック
チームでたたかう！ 夏の競技②
―サッカー・ゴールボール ほか―

NDC780　48P　28.6 × 21.7㎝

2014年12月25日　第1刷発行
2021年3月30日　第5刷発行

- ●監修　　　公益財団法人　日本障がい者スポーツ協会
- ●発行者　　佐藤諭史
- ●発行所　　文研出版
  〒113-0023 東京都文京区向丘2-3-10　電話03-3814-5187
  〒543-0052 大阪市天王寺区大道4-3-25　電話06-6779-1531
  https://www.shinko-keirin.co.jp/
- ●印刷・製本　株式会社太洋社

© 2014 BUNKEN SHUPPAN Printed in Japan　ISBN978-4-580-82251-1 C8375
本書のコピー、スキャン、デジタル化等の無断複製は著作権法上での例外を除き禁じられています。本書を代行業者等の第三者に依頼してスキャンやデジタル化することは、たとえ個人や家庭内の利用であっても著作権法上認められておりません。
乱丁・落丁本はお取り替えいたします。